5Sとは

5Sとは、整理（Seiri）・整頓（Seiton）
清掃（Seisou）・清潔（Seiketsu）・しつけ（Shitsuke）
の5つの頭文字Sを表したものです。

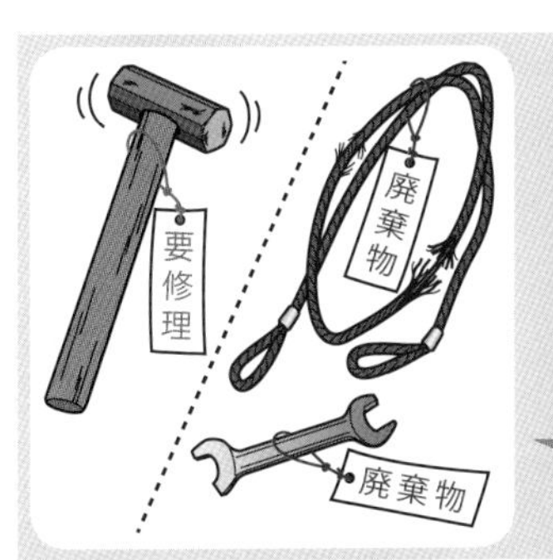

整理

要るものと要らないものを区分して、要らないものを一掃すること

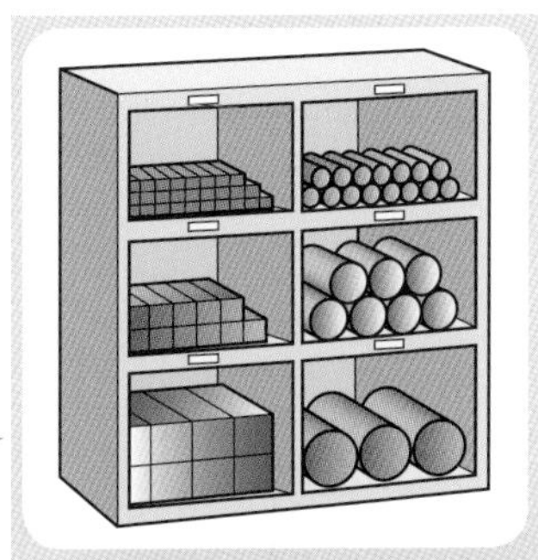

整頓

物品の置き場・置き方を決めて、必要なものを、必要なときに、必要な量だけ、安全に取り出せるようにすること

しつけ

4S（整理・整頓・清掃・清潔）が全員に徹底され適切に実行されていること

清掃

掃除をして、ごみ、汚れのない状態にすること

清潔

整理・整頓・清掃を徹底して実行し、健康で快適に過ごすための良好な状態を維持すること。また、服装や身の回りをきれいな状態にしておくこと

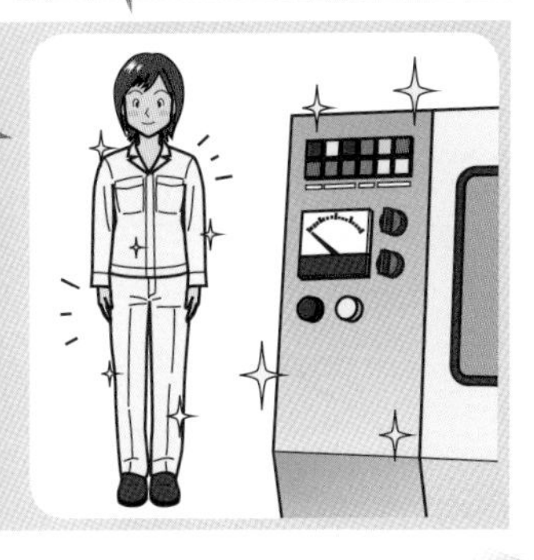

※「しつけ」とは、一人一人が4Sを実行し、徹底すること。そして、そのために、事業場として職場風土や仕組みづくり、教育を実施していくことを意味します。

1 5S活動の意義と効果

(1) 5S活動の意義 ～労働災害の未然防止～

「通路が確保されていない」「作業スペースが狭く無理な姿勢になる」「表示が見えない」など、4S(整理・整頓・清掃・清潔)の不良は、転倒災害や火災など労働災害につながるリスクとなります。これらのリスクを減らすには、4Sを実行し、それらを徹底させる「しつけ」(5番目のS)によって、職場の「不安全」や「不衛生」な状態をなくす「5S活動」が有効です。

●5Sが励行されないと(安全衛生上の問題点の例)…

整理
- 作業スペースに不要なものが置かれて狭くなり、無理な姿勢で作業する
- 消火器の前にものが放置され、初期消火が遅れる
- 通路や階段にものが置かれ、緊急時に避難が遅れたり、転倒したりする　など

整頓
- 必要な工具が見つからず、作業に不適切な代替品を使う
- 保護具が見つからず、着用しない　など

清掃
- 床面に飛散した油で足を滑らせる
- 装置の表示が汚れて判別できず、誤った操作をする　など

清潔
- 清潔でないことは、整理、整頓、清掃活動が行われていないことであり、リスクが減らない
- 作業服に付着した溶剤・薬品を放置したまま作業し、付着物が皮膚や鼻、口などから体内に入る　など

しつけ
- ルールを決めておかないと、活動にムラが出たり、継続されなかったりする
- 作業者の自主性が育たず、守るべきことが守られなかったり(例:服装の乱れなど)、活動の効果が出ない　など

(2) 5S活動の効果

5S活動が定着すると、安全性の向上はもとより、さまざまな分野で、効果が期待できます。

●効果の例

生産性の向上
- ものを探すムダな時間がなくなる
- 在庫や運搬のムダがなくなる　など

品質の向上
- 材料間違いが防止できる
- 異物混入が防止できる
など

作業環境の改善
- 衛生面（ほこり、ごみ、不快臭など）の改善ができる
- 働きやすいクリーンな職場になる
など

意識の向上
- やる気や「決められたことを守る」という意識がさまざまな活動に波及する　など

安全性の向上
- 通路や作業スペースができ、通行や作業の安全が確保される
- 表示が分かりやすくなり、見間違いなどのミスがなくなる　など

このように、5S活動が推進され、定着していくことによって、安全な職場が形成されるだけではなく、会社全体のあらゆる活動に効果が現れます。

2 4Sのポイント

(1)整理のポイント

整理によって、要るものと要らないものを分けて、要らないもの、使ってはいけないものを処分することで、大事なものや必要なものが見えてきます。

特に、整理による作業スペースや避難通路の確保は、安全上重要になります。

●まずは捨てることから!

まずは「要るもの」と「要らないもの」を分けます。ものを捨てることがもったいないと思うことよりも、スペースを狭くしていることやものを探す時間のほうががもったいないということを理解しましょう。思い切って処分することが大切です。

また、環境への配慮からリサイクルやリユースを意識することも大切です。

●繰り返して整理する

一度整理をしても、日常の生産活動の中では不要なものがすぐに出てきます。繰り返して整理し、不要なものの処分を習慣化することが大切です。

●整理のルールをつくる

必要・不要の判断や、処分の意思決定ができないことも整理が進まない理由のひとつです。必要・不要の判断や、処分の意思決定の責任者を決めるなど「整理」のルールをあらかじめつくっておくことが大切です。

●表示による識別をしよう

不要と判断されたものには誰にでも分かるように「廃棄」や「処分待ち」などの表示をして、確実に処分しましょう。また、修理が必要なものは「修理待ち」などの表示をします。

「廃棄」の例

- 壊れた工具（先端が折れたドライバー・スパナ、ひびが入ったハンマー、劣化したワイヤー）など
- 使う見込みのない材料（残った材料）など
- 使う見込みのない資料
- 故障して修理不能な機械・設備や照明器具

「修理待ち」の例

- 頭部がまくれたハンマー、タガネ、ポンチ等の打撃工具は、角を削るなどの修理ができる
- 切れ味が落ちたり、刃こぼれがあったりする刃物工具は、研ぎなおすことで元の状態に戻る

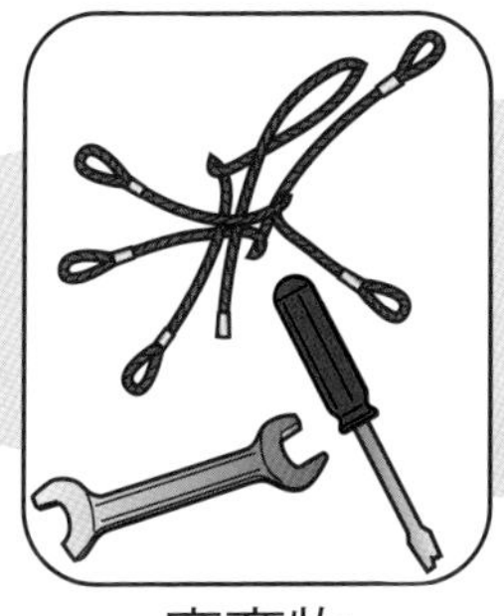

廃棄物

修理可能なもの

確実に処分されたことを確認しよう

不要と判断されても、いつまでも机の下や倉庫などに放置されていたり、事務所のすみに置かれていたりすることがあります。その結果、ムダなスペースを使ったり、通路などをふさいだりして作業性が悪くなりリスクが生じます。不要なものでもすぐに処分できないものは、リスト化して、処分期日も決めて、確実に処分します。

なお、処分は、法令や事業場で定めた方法により、適切に行います。

整理の工夫の例：「毎日○○整理活動」

たとえば…
- 毎日5回処分する
- 毎日2ヵ所整理する

など、整理活動を習慣づけします。
ものは毎日たまっていきます。
それ以上に処分する習慣をつけましょう。

(2)整頓のポイント

「整理」で必要と判断されたものを、使いやすく並べたり、整列させたりすることが「整頓」です。「整頓」が悪いと、ものを探したり、戻す場所を探したりするムダな時間を費やし、必要な治工具が使用されないなどの不安全行動にもつながります。「ものの置き方の標準化」をして、整頓を進めましょう。

●正しいものの置き場所、置き方を考える

日々使用するものはなるべく身近で取り出しやすいところに置き、めったに使用しないものは、奥の方または別の保管場所などに置くようにします。また、誰もが整頓できるように置き場所に表示をしましょう。

●重いものや大きいものは下に置く

整頓では取り出すときや使用するときの状況を考えて置き場所を決めることが大切です。たとえば、重いものを高いところに置いた場合、ものの落下や腰痛の原因になります。重いものや大きなものは下に置くようにします。

●安全に配慮した置き方を考えよう(例)

- ●置き場所を決めて線を引くなど、誰にでも分かるように明示する。
- ●通路や出入り口のそばなどには置かない。
- ●動かないようにキャスターをロックしたり、輪止めをしたりする。

材料

- 丸いものには、転がらないように歯止めをかませる。
- ばらつきやすいものは、種類ごとに箱に入れる。
- 出し入れすることを考え、種類ごとに間隔をあける。

薬品 塗料 危険物

- 可燃性のものは不燃性の容器に入れて密閉し、火気から隔離して保管する。
- 容器には品名、取扱上の説明などを表示し、その特性に応じた専用の棚や箱に保管する。
- 薬品が倒れてこぼれないように、耐震用の金具で固定した専用棚に入れる。
- 化学物質のSDS（安全データシート）を近くに置く。
- ガスボンベは、空ボンベと充填ボンベに分けて明示し、チェーンなどで転倒防止をする。

整頓の工夫の例：3定管理

定位置…決められた**場所**

定　品…決められた**もの**

定　量…決められた**量（数量）**

場所、置くもの、置ける量を決めて、ラインテープなどでエリアを決め、表示します。これにより、エリアからはみ出ていたり、違うものが置かれたりする場合は「異常」がすぐに分かります。

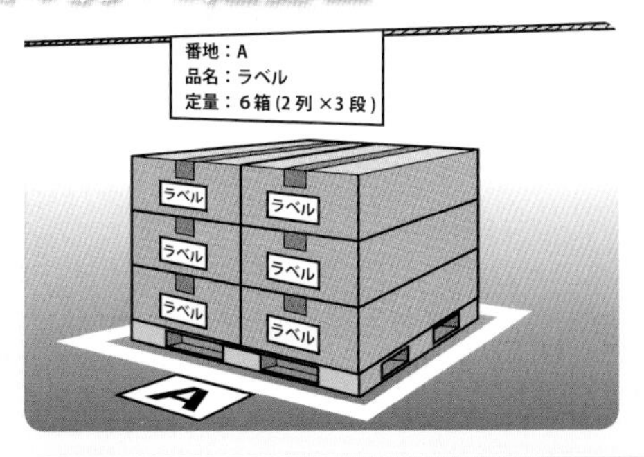

※整頓が進むと、仕事に必要なものだけを取り出して、終わったら戻すという「ひと仕事　ひと片づけ」により、仕事が効率的にできるようになります。

(3)清掃のポイント

ごみやほこり、油、塗料の付着などを放置しておくと、こびりついて、取り除くのに時間がかかる上、機械・設備の不具合や故障、発火の原因となり、災害を招きやすくなります。このようなことが起きる前に、毎日、あるいは定期的にこまめに点検し、見つけたら「すぐに」掃除して取り除くことが大切です。

●外から汚れを持ち込まない

人やものが外部から屋内に入るときは、ほこり、泥、ごみを持ち込まないようにします。

●汚れの発生源に目を向けよう

機械・設備、器具からの油漏れ、切りくず、粉じんの飛散など発生源対策を実施し、リスクを減らしましょう。また、部品などの摩耗がないかなどの点検も合わせて行いましょう。

●棚の上や設備の裏側も忘れずに清掃しよう

清掃は上から下へ、裏から表へ、を基本に行います。ただし、設備の裏側の清掃では、電源などにより感電のリスクがないかを確認してから行いましょう。

こまめに清掃しよう

通路など

- 油や水、有機溶剤などがこぼれていたらすぐにふきとる。
- 作業中に出た切りくずは早めに片づける。
- 粉じんが出る場合は、散水して水分を含ませるか、真空掃除機やモップで取り除く。

機械・設備

- 計器の表示部に油汚れやほこりがたまらないようにこまめにふく。なお、設備内に入るときは動力を遮断し、起動スイッチなどに施錠し、「清掃中のため運転禁止」などの表示をする。

OA機器

- 画面や本体はほこりや汚れがつきやすいので、こまめにふく。
- キーボードの隙間やマウスの裏側にごみやほこりが入りやすいので、専用のブラシなどで掃除する。

手工具

- ハンマーの柄など手工具を持つ部分に付着した油はふきとる。

清掃の工夫の例：「清掃時危険有害作業の洗い出し」

清掃では、さまざまな危険性も考えられるため、安全を意識して清掃を進めることが大切です。

清掃	ふく	掃く
作業場所	机、手すり、壁、窓、ガラス、照明器具　など	床、通路　など
考えられる危険	はさまれ、切れ　など	粉じんが飛散して吸い込む　など
対策	柄のついた用具を使う、手袋を着用する　など	マスクを着用する、散水する、真空掃除機を使う　など

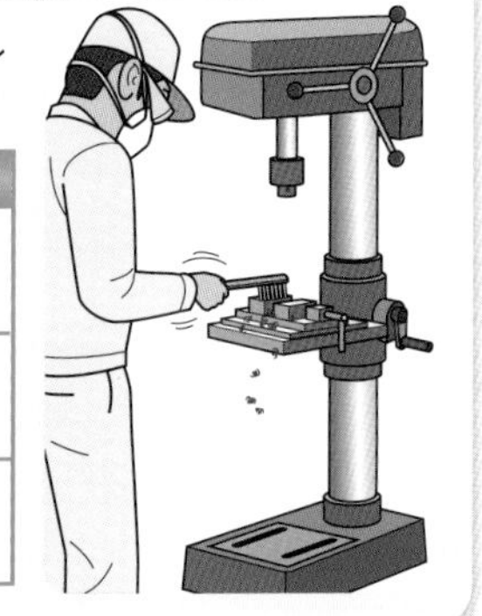

(4)清潔のポイント

3S(整理、整頓、清掃)は少しでも手を緩めると簡単に元の状態に後戻りしてしまいます。「清潔」とは3Sを繰り返して、職場をきれいで快適に維持することであり、同時に自らの服装や身の回りを汚れのない状態にしておくことです。

●自ら守ること

まず「清潔」で大切なことは、自らが清潔でいることです。からだに合った、よく洗濯された作業服の着用や、手洗い、うがい、洗顔などを励行しましょう。

●3Sが繰り返し行われているか確認する

3Sが守られているか、一人一人が日常的に確認することが大切です。

また、一人では対応できない場合や、守りにくいルールであった場合は、積極的に上司や仲間とコミュニケーションをとりながら改善を進めましょう。

●作業環境を改善してきれいに保とう

発生源対策(局所排気装置等)などが確実に実施されているか、適切に維持管理されているか確認し、職場環境をきれいに保ちましょう。

また、定期的に作業環境測定などを行って、作業環境の状況を把握し、より快適で働きやすい作業環境にするために改善を進めることも大切です。

●休憩所や食堂などの共用スペースを清潔に利用しよう

休憩所や食堂は、みんなが快適に過ごせる空間でなければなりません。このため、汚れを持ち込まないことが大切です。休憩所などの利用時は作業服の汚れなどを取り払いましょう。

●保護具の管理

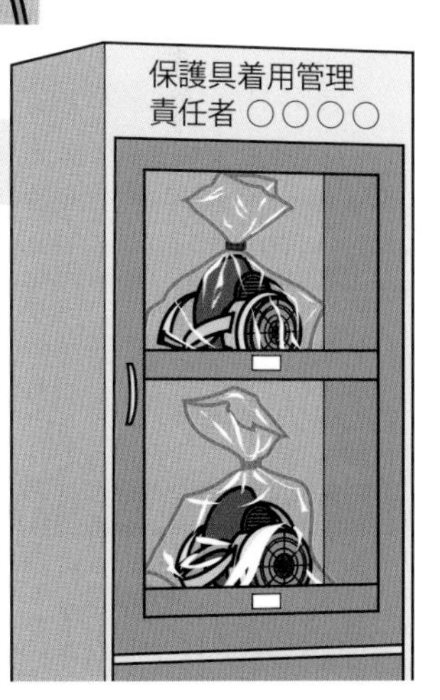

保護具は災害から身を守る最後の砦（とりで）です。しかし、劣化した状態や防毒マスクの吸収缶が密閉されずに保管されていたりする場合があります。このような状態で使用すれば、十分に有害物を吸収できず、健康障害のリスクが生じます。

保護具は管理方法や管理責任者を明確にして、清潔な状態で適切に管理することが大切です。

清潔の工夫の例：相互服装チェック

2人組みになって向き合い、お互いに指差し呼称で服装を確認する。

例　袖のボタンよいか？ ▸▸▸ 袖のボタン留め ヨシ!

帽子から髪の毛がはみ出ていないか？ ▸▸▸ 髪の毛はみ出しなし ヨシ!　**など**

お互いの服装や保護具を確認し合うことで、自分では気づきにくいことをチェックできます。また作業場の入り口に全身が写る鏡を用意して、鏡の横に確認項目を表示しておくのも有効です。

（5）事務所の整理・整頓・清掃・清潔のポイント

整理 Seiri

クリアデスク（きれいな机）を目指して！

ポイント

- 事務用品は最低限にしよう
- 個人持ちの書類を減らそう
- 古い掲示物は外そう
- 本棚、書類棚は乱れやすいので定期的に見直そう

効果

- 見通しが良くなりものや人にぶつかるリスクが減る
- 新たなスペースができる
- 仕事がしやすくなる
- 情報の漏洩防止になる

整頓 Seiton

能率・効率の向上を目指して！

ポイント

- よく使うものは身近に置こう
- 外から見て分かるように置き場所に表示をしよう
- 通路や階段にはものを置かないようにしよう
- 離席の際はいすを机に必ず入れよう

効果

- ものにつまずくなどのリスクを減らせる
- 作業効率が良くなる
- ものが探しやすくなる

清掃 Seisou

身の回りのきれいを目指して！

ポイント

- まず個人の机、パソコンをきれいにしよう
- 机の周りや通路をきれいにしよう
- 照明をきれいにしよう
- ゴミ箱など捨て場所もきれいにしよう

効果

- 快適な環境で作業できる
- すべったり、転んだりするリスクが減らせる

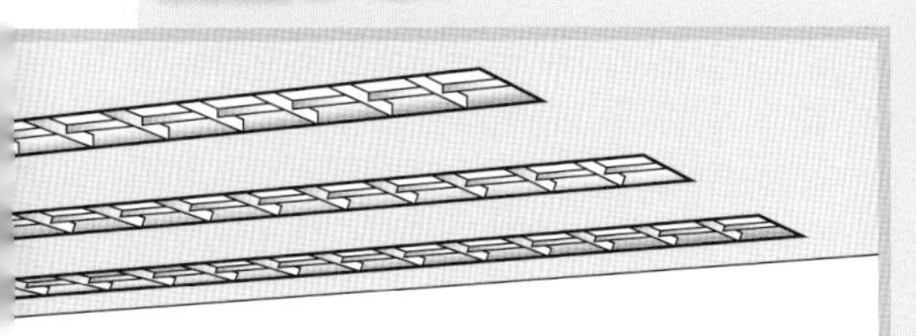

清潔 Seiketsu

いつもきれいな職場を目指して！

ポイント

- 職場の3Sルールを守ろう
- からだに合ったきれいに洗濯した事務服を着よう
- 給湯室、トイレ、休憩所をきれいに利用しよう

効果

- いつもきれいな職場でいられる
- 病気などの未然防止になる

3 5番目のS しつけのポイント

(1)しつけのポイント

「しつけ」とは、本人の意志のもと4Sのルールを守り、4Sをしっかりと実行して、徹底することです。そして事業場や職場は、そのための風土や仕組みづくり、教育などを実施していくことです。

ルールを決める

まずは、整理・整頓・清掃・清潔を実施するためのルールを決めます。決めるときには全員で積極的に参画しましょう。ルールには「ほこりがかぶっているもの」「使い方の分からないもの」「通路の状態」「機械の見えない部分」「ムダな作業・時間・場所」「掲示物の見やすさ」などチェックのポイントを盛り込むと、見落としが少なくなります。

ルールを覚えて身につけよう

ルールを決めたら、つくったメンバーで実践してみて実行性を確認します。実行しにくいときは見直します。ルールを身につけて、習慣化しましょう。まずは、管理監督者が率先して実施することが大切です。

管理監督者の対応

管理監督者は、5S活動について教育・指導を繰り返すと同時に、4Sが励行されていない場合は原因を探り、対応します。

また、積極的に取り組んでいる人や職場を褒めることも大切です。あたりまえのことでも守り続けるということは大変なことなのです。

評価・改善をしよう

管理監督者はルールに沿って4Sが進んでいるか、定期的に点検・評価をします。点検・評価は作業者と合同で行ったり、実施責任者などを決めて行うことも有効です。4Sの実効性を高めるためには自主性が重要です。押し付けや無理なトップダウンでは長続きしません。ボトムアップ活動として推進することがポイントです。

(2)評価と改善の進め方

評価のポイント

チェックリストを活用しよう

評価する際には、チェック漏れの防止や評価結果の記録を残すためにチェックリストが有効です。誰が実施しても同じように評価できるようにするため、評価基準を定めてチェックリストを作成し、活用しましょう。

問題点を掘り下げよう

評価では、問題点を指摘するだけでなく、真の原因を掘り下げて考え、その原因に応じた改善のためのアドバイスや助言を心がけましょう。

複数でパトロールしよう

公正・公平に評価をするために、見方が偏らないよう複数メンバーでパトロールを実施します。

現地・現物・現実で事実を調査しよう

真の実態を把握するには机上のみで評価するのではなく「3現主義（現地・現物・現実）」で自ら職場に足を運び、実際に見たり、聞いたりして確認します。

改善のポイント

ルールや仕組みで改善しよう

問題点の改善では、その場しのぎの対策とならないように、原因を深掘りし、再発させないよう、ルールや仕組みで改善していくことが効果的です。

改善結果を確認・フォローしよう

評価者は、問題点の改善ができているか、改善策は効果的かなどについて、確認・フォロー（再評価）します。

情報をみんなで共有し、水平展開しよう

改善についての情報をみんなで共有し、組織的な改善活動につなげることで、5S活動は一層有効なものとなります。

(3)評価をする際の着眼点の例

5S活動の評価では、重要なことを見落とさないよう、下表などの着眼点を押さえた上で実施しましょう。

● 着眼点の例

着眼点	ポイント
ほこりをかぶっていないか	ほこりをかぶっているものは、めったに使わないものの可能性が高く、処分の対象になる
外から見て何に使うか分かるか	一見して何に使うか分からないものも使用頻度が低いことが考えられ、処分の対象になる
床や通路に何か落ちてないか	常態化していると見逃しがちだが、床や通路にものや油、水があるのは異常と考えるのが基本
機械・設備の裏、下にものが隠れていないか	その場しのぎのために一時的にものを隠し、そのまま放置されていることがある
ものの積み替えやムダな運搬作業はないか	古いものを取り出すための積み替え作業や、遠い場所にものを取りに行く作業はものの置き方（整頓）に問題がある
出しっぱなしの理由は何か	ものが出しっぱなしになっている場合、そもそも不要なものか、置き場所が決まっていないことがある
掲示物や表示は見やすくなっているか	掲示板に多くの種類の掲示や、文字が小さかったり汚れていたりする掲示があると活用されない。掲示板の4Sも重要

本冊子のまとめ

5S活動を大きく2つに分けると

❶ 「整理」「整頓」「清掃」
改善活動

❷ 「清潔」「しつけ」
維持活動

❶の活動でより高い水準の3S目標を立て、❷の活動で、維持・継続・向上していくことが大切です。

● 参考 5Sチェックリスト☑の例

基 本 的 事 項

□ 作業服は清潔なものをきちんと着用しているか
□ 作業場所と通路が白線や柵などで区別されているか
□ 工具・材料置き場は決められていて、取り出しやすくなっているか
□ 危険物や有害物は指定の場所に保管されているか
□ 廃品は区分され所定の場所に捨てられているか
□ 不要な資材、摩耗した工具、故障して使えないものは廃棄（整理）しているか
□ 電源付近（コンセント周り）にほこりはないか

はさまれ・巻き込まれ災害の防止のために

□ 必要な囲い・覆い等に、破損や不備はないか
□ 作業スペースは狭くないか
□ 清掃・給油時などは機械を停止しているか、
　またその旨関係者に分かるように表示しているか
□ ワイヤーロープなどの吊り具に損傷はないか
□ 資材・製品は荷崩れのおそれはないか
□ 駆動部や回転部の周辺に工具を置いていないか
□ 作業に必要な治工具が整っているか

転倒災害や運搬災害の危険の防止、避難経路の確保のために

□ 安全通路を確保し、色別や白線で表示しているか
□ 床や通路の凸凹は補修または保護カバーをしているか
□ 階段の滑り止めは外れていないか
□ 通路や出入り口、曲がり角、エレベーター前、階段などにものが置かれてないか
□ 床のゴミ、油、水をすぐふきとるようにしているか
□ 床をはうコード類にカバーが付いているか
□ 安全な踏み台、はしご、脚立は整備されているか
□ 通路や階段などは必要な明るさが確保されているか
□ スイッチ、消火器、非常口の前にものが置かれていないか
□ もののはみ出しや頭上に障害物はないか

健康障害などの防止のために

□ 溶剤の名称や取扱上の注意の表示は読めるか
□ 溶剤などの漏れ、こぼれ、発散がないように保管しているか
□ 容器が転倒などしないようにガードや固定をしているか
□ 保護具は適切に整備し保管しているか
□ 粉じんが堆積して舞い上がらないように清掃しているか
□ 換気設備等のフィルターは目詰まりしていないか
□ 照明器具にちらつき、汚れ、ランプ切れはないか
□ パソコンの画面やキーボードなどにほこりはないか

ヒューマンエラーの防止のために

□ 文字・絵・記号などの表示ははっきりと見えるか
□ スイッチのONやOFFの文字が消えていないか
□ 通路上の一旦停止の表示は消えていないか
□ バルブ等の開閉方向の表示、色分けなどは適切か
□ 標識・表示類が汚れていたり見にくくなっていないか

平成24年10月24日　第1版第1刷発行
令和6年5月31日　第10刷発行

編者
中央労働災害防止協会

発行者
平山　剛

発行所
中央労働災害防止協会
〒108-0023　東京都港区芝浦3-17-12
吾妻ビル9階
販売／TEL：03-3452-6401
編集／TEL：03-3452-6209
ホームページ　https://www.jisha.or.jp/

印刷
昭和情報プロセス株式会社

イラスト
佐藤　正

デザイン
新島浩幸

21555-0110
定価418円（本体380円＋税10％）
ISBN978-4-8059-1479-3　C3060　¥380E